弘扬和平共处五项原则
建设合作共赢美好世界

——在和平共处五项原则发表60周年纪念大会上的讲话

（2014年6月28日）

习　近　平

人　民　出　版　社

图书在版编目(CIP)数据

弘扬和平共处五项原则　建设合作共赢美好世界:在和平共处五项原则发表60周年纪念大会上的讲话/习近平. —北京:人民出版社,2014.7

ISBN 978-7-01-013718-6

Ⅰ.①弘…　Ⅱ.①习…　Ⅲ.①习近平-讲话-学习参考资料 ②和平共处五项原则-学习参考资料　Ⅳ.①D2-0 ②D801

中国版本图书馆 CIP 数据核字(2014)第 142359 号

(RMC-ZJDXI-010-20140628)

弘扬和平共处五项原则　建设合作共赢美好世界

HONGYANG HEPING GONGCHU WUXIANG YUANZE
JIANSHE HEZUO GONGYING MEIHAO SHIJIE

——在和平共处五项原则发表60周年纪念大会上的讲话

(2014年6月28日)

习　近　平

人民出版社 出版发行
(100706　北京市东城区隆福寺街99号)

北京新华印刷有限公司印刷　新华书店经销

2014年7月第1版　2014年7月北京第1次印刷
开本:880毫米×1230毫米 1/32　印张:0.5
字数:7千字

ISBN 978-7-01-013718-6　定价:2.50元

邮购地址 100706　北京市东城区隆福寺街99号
人民东方图书销售中心　电话 (010)65250042　65289539

弘扬和平共处五项原则 建设合作共赢美好世界

——在和平共处五项原则发表60周年纪念大会上的讲话

（2014年6月28日）

中华人民共和国主席　习近平

尊敬的吴登盛总统，

尊敬的安萨里副总统，

尊敬的各位使节、各位嘉宾，

女士们，先生们，朋友们：

今天，我们在这里隆重集会，纪念和平共处五项原则发表60周年。这是中国、印度、缅甸和国际社会共同的盛会，对弘扬和平共处五项原则、增进各国人民友好合作、促进世界和平与发展，具有重要意义。

在这里，我谨代表中国政府和中国人民，并以我个人的名义，对各位嘉宾和朋友的到来，表示热烈的欢迎！

刚才，吴登盛总统、安萨里副总统发表了热情洋溢的重要讲话，我对他们的讲话表示高度评价。

60 年前，在第二次世界大战结束后兴起的非殖民化运动中，亚非拉民族独立解放事业蓬勃发展，新生的国家渴望建立平等的国际关系。中国、印度、缅甸顺应这一历史潮流，共同倡导了互相尊重主权和领土完整、互不侵犯、互不干涉内政、平等互利、和平共处五项原则。

1954 年 6 月 28 日和 29 日，中印、中缅分别发表联合声明，确认这五项原则将在相互关系以及各自国家同亚洲及世界其他国家的关系中予以适用。这是国际关系史上的重大创举，为推动建立公正合理的新型国际关系作出了历史性贡献。

抚今追昔，我们对共同倡导和平共处五项原则的三国老一辈领导人表示深切的缅怀，对长期以来坚持弘扬和平共处五项原则的各国有识之士，致以崇高的敬意！

今天，我们共同纪念和平共处五项原则发表60周年，就是要探讨新形势下如何更好弘扬这五项原则，推动建立新型国际关系，共同建设合作共赢的美好世界。

女士们、先生们、朋友们！

和平共处五项原则之所以在亚洲诞生，是因为它传承了亚洲人民崇尚和平的思想传统。中华民族历来崇尚“和为贵”、“和而不同”、“协和万邦”、“兼爱非攻”等理念。印度、缅甸等亚洲国家人民也历来崇尚仁爱、慈善、和平等价值观。印度伟大诗人泰戈尔用诗歌的语言写道：“你以为用战争可以获取友谊？春天就会从眼前姗姗而去。”缅甸人民建立了和平塔，用来祈祷世界和平。

和平共处五项原则生动反映了联合国宪章宗旨和原则，并赋予这些宗旨和原则以可见、可行、可依循的内涵。和平共处五项原则中包含4个“互”字、1个“共”字，既代表了亚洲国家对国际关系的新期待，也体现了各国权利、义务、责任相统一的国际法治精神。

上个世纪50年代，在和平共处五项原则指导下，中印友好之风吹遍了两国广袤大地。当年，周恩来总理访问印度时，到处可以听到“潘查希拉金达巴”（五项原则万岁）、“印地秦尼巴伊巴伊”（印中人民是兄弟）的欢呼声。中缅在和平共处五项原则指导下妥善解决了边界问题，1960年两国签署边界条约，这是新中国同周边邻国签订的第一个边界条约。中缅两国还签署了中缅友好和互不侵犯条约，这是亚洲国家间首个和平友好条约。

60年来，和平共处五项原则不仅在中国、印度、缅甸生根发芽、深入人心，而且走向亚洲、走向世界，中国、印度、缅甸都为此作出了重要贡献。中方认为，总结国际关系实践，和平共处五项原则是具有强大生命力的。印方认为，如果和平共处五项原则在所有国家相互关系中获得认可，那么世界就几乎不会有任何冲突和战争。缅方表示，和平共处五项原则对一切国家都是适当的指导原则。

女士们、先生们、朋友们！

60年来，历经国际风云变幻的考验，和平共处五项原则作为一个开放包容的国际法原则，集中体现了主权、正义、民主、法治的价值观。

——和平共处五项原则已经成为国际关系基本准则和国际法基本原则。和平共处五项原则精辟体现了新型国际关系的本质特征，是一个相互联系、相辅相成、不可分割的统一体，适用于各种社会制度、发展水平、体量规模国家之间的关系。1955 年，万隆会议通过的十项原则是对和平共处五项原则的引申和发展。上个世纪 60 年代兴起的不结盟运动把五项原则作为指导原则。1970 年和 1974 年联合国大会通过的有关宣言都接受了和平共处五项原则。和平共处五项原则为当今世界一系列国际组织和国际文件所采纳，得到国际社会广泛赞同和遵守。

——和平共处五项原则有力维护了广大发展中国家权益。和平共处五项原则的精髓，就是所有国家主权一律平等，反对任何国家垄断国际事务。这为广大发展中国家捍卫国家主权和独立提供了强大思想武器，成为发展中国家团结合作、联合自强的旗帜，加深了广大发展中国家相互理解和信任，促进了南南合作，也推动了南北关系改善和发展。

——和平共处五项原则为推动建立更加公正合

理的国际政治经济秩序发挥了积极作用。和平共处五项原则摒弃了弱肉强食的丛林法则，壮大了反帝反殖力量，加速了殖民体系崩溃瓦解。在东西方冷战对峙的大背景下，所谓“大家庭”、“集团政治”、“势力范围”等方式都没有处理好国与国关系，反而带来了矛盾、激化了局势。与之形成鲜明对照的是，和平共处五项原则为和平解决国家间历史遗留问题及国际争端开辟了崭新道路。

女士们、先生们、朋友们！

当今世界正在发生深刻复杂的变化，和平、发展、合作、共赢的时代潮流更加强劲，国际社会日益成为你中有我、我中有你的命运共同体。同时，国际关系中的不公正不平等现象仍很突出，全球性挑战层出不穷，各种地区冲突和局部战争此起彼伏，不少国家的民众特别是儿童依然生活在战火硝烟之中，不少发展中国家人民依然承受着饥寒的煎熬。维护世界和平、促进共同发展，依然任重道远。

新形势下，和平共处五项原则的精神不是过时了，而是历久弥新；和平共处五项原则的意义不是淡化了，而是历久弥深；和平共处五项原则的作用不是削弱了，而是历久弥坚。

“凡益之道，与时偕行。”刚才，吴登盛总统、安萨里副总统都对新形势下坚持和弘扬和平共处五项原则、推动建设新型国际关系和美好世界谈了很好的想法和主张。在这个问题上，中国、印度、缅甸有着广泛共识。我愿谈几点看法。

第一，坚持主权平等。主权是国家独立的根本标志，也是国家利益的根本体现和可靠保证。主权和领土完整不容侵犯，各国应该尊重彼此核心利益和重大关切。这些都是硬道理，任何时候都不能丢弃，任何时候都不应动摇。

国家不分大小、强弱、贫富，都是国际社会平等成员，都有平等参与国际事务的权利。各国的事务应该由各国人民自己来管。我们要尊重各国自主选择的社会制度和发展道路，反对出于一己之利或一己之见，采用非法手段颠覆别国合法政权。

第二，坚持共同安全。安全应该是普遍的。各国都有平等参与国际和地区安全事务的权利，也都有维护国际和地区安全的责任。我们要倡导共同、综合、合作、可持续安全的理念，尊重和保障每一个国家的安全。不能一个国家安全而其他国家不安全，一部分国家安全而另一部分国家不安全，更不能牺牲别国安全谋求自身所谓绝对安全。我们要加强国际和地区合作，共同应对日益增多的非传统安全威胁，坚决打击一切形式的恐怖主义，铲除恐怖主义滋生的土壤。

对待国家间存在的分歧和争端，要坚持通过对话协商以和平方式解决，以对话增互信，以对话解纷争，以对话促安全，不能动辄诉诸武力或以武力相威胁。热衷于使用武力，不是强大的表现，而是道义贫乏、理念苍白的表现。只有基于道义、理念的安全，才是基础牢固、真正持久的安全。我们要推动建设开放、透明、平等的亚太安全合作新架构，推动各国共同维护地区和世界和平安全。

第三，坚持共同发展。天空足够大，地球足够大，世界也足够大，容得下各国共同发展繁荣。一些国家越来越富裕，另一些国家长期贫穷落后，这样的局面是不可持续的。水涨船高，小河有水大河满，大家发展才能发展大家。各国在谋求自身发展时，应该积极促进其他国家共同发展，让发展成果更多更好惠及各国人民。

我们要共同维护和发展开放型世界经济，共同促进世界经济强劲、可持续、平衡增长，推动贸易和投资自由化便利化，坚持开放的区域合作，反对各种形式的保护主义，反对任何以邻为壑、转嫁危机的意图和做法。

我们要推动南南合作和南北对话，增强发展中国家自主发展能力，推动发达国家承担更多责任，努力缩小南北差距，建立更加平等均衡的新型全球发展伙伴关系，夯实世界经济长期稳定发展基础。

第四，坚持合作共赢。“合则强，孤则弱。”合作共赢应该成为各国处理国际事务的基本政策取向。合作共赢是普遍适用的原则，不仅适用于经济领域，而且适用于政治、安全、文化等其他领域。

我们应该把本国利益同各国共同利益结合起来，努力扩大各方共同利益的汇合点，不能这边搭台、那边拆台，要相互补台、好戏连台。要积极树立双赢、多赢、共赢的新理念，摒弃你输我赢、赢者通吃的旧思维，“各美其美，美人之美，美美与共，天下大同”。

我们要坚持同舟共济、权责共担，携手应对气候变化、能源资源安全、网络安全、重大自然灾害等日益增多的全球性问题，共同呵护人类赖以生存的地球家园。

第五，坚持包容互鉴。文明多样性是人类社会的基本特征。当今世界有70亿人口，200多个国家和地区，2500多个民族，5000多种语言。不同民族、不同文明多姿多彩、各有千秋，没有优劣之分，只有特色之别。

“万物并育而不相害，道并行而不相悖。”我们要尊重文明多样性，推动不同文明交流对话、和平共处、和谐共生，不能唯我独尊、贬低其他文明和民族。人类历史告诉我们，企图建立单一文明的一统天下，只是一种不切实际的幻想。

尺有所短，寸有所长。我们要倡导交流互鉴，注重汲取不同国家、不同民族创造的优秀文明成果，取长补短，兼收并蓄，共同绘就人类文明美好画卷。

第六，坚持公平正义。“大道之行也，天下为公。”公平正义是世界各国人民在国际关系领域追求的崇高目标。在当今国际关系中，公平正义还远远没有实现。

我们应该共同推动国际关系民主化。世界的命运必须由各国人民共同掌握,世界上的事情应该由各国政府和人民共同商量来办。垄断国际事务的想法是落后于时代的,垄断国际事务的行动也肯定是不能成功的。

我们应该共同推动国际关系法治化。推动各方在国际关系中遵守国际法和公认的国际关系基本原则,用统一适用的规则来明是非、促和平、谋发展。“法者,天下之准绳也。”在国际社会中,法律应该是共同的准绳,没有只适用他人、不适用自己的法律,也没有只适用自己、不适用他人的法律。适用法律不能有双重标准。我们应该共同维护国际法和国际秩序的权威性和严肃性,各国都应该依法行使权利,反对歪曲国际法,反对以“法治”之名行侵害他国正当权益、破坏和平稳定之实。

我们应该共同推动国际关系合理化。适应国际力量对比新变化推进全球治理体系改革,体现各方关切和诉求,更好维护广大发展中国家正当权益。

女士们、先生们、朋友们!

中国是和平共处五项原则的积极倡导者和坚定实践者。和平共处五项原则载入了中国宪法,是中国外交政策的基石。中国是当代国际体系的参与者、建设者、贡献者。

——中国将坚定不移走和平发展道路。走和平发展道路是中国根据时代发展潮流和自身根本利益作出的战略抉择。中国人民崇尚"己所不欲,勿施于人"。中国不认同"国强必霸论",中国人的血脉中没有称王称霸、穷兵黩武的基因。中国将坚定不移沿着和平发展道路走下去,这对中国有利,对亚洲有利,对世界也有利,任何力量都不能动摇中国和平发展的信念。中国坚定维护自身的主权、安全、发展利益,也支持其他国家特别是广大发展中国家维护自身的主权、安全、发展利益。中国坚持不干涉别国内政原则,不会把自己的意志强加于人,即使再强大也永远不称霸。中国真诚希望其他国家都走和平发展道路,大家携手把这条路走稳走好。

——中国将坚定不移在和平共处五项原则基础上发展同世界各国的友好合作。"凡交,近则必相靡以信,远则必忠之以言。"中国坚持按照亲、诚、惠、容的理念，深化同周边国家的互利合作，努力使自身发展更好惠及周边国家。中国坚持把发展中国家作为对外政策的基础，坚持正确义利观，永远做发展中国家的可靠朋友和真诚伙伴。中国重视各大国的地位和作用，致力于同各大国发展全方位合作关系，积极同美国发展新型大国关系，同俄罗斯发展全面战略协作伙伴关系，同欧洲发展和平、增长、改革、文明伙伴关系，大家一起来维护世界和平、促进共同发展。

——中国将坚定不移奉行互利共赢的开放战略。中国正在推动落实丝绸之路经济带、21 世纪海上丝绸之路、孟中印缅经济走廊、中国—东盟命运共同体等重大合作倡议，中国将以此为契机全面推进新一轮对外开放，发展开放型经济体系，为亚洲和世界发展带来新的机遇和空间。

当前，中国人民正在为全面建成小康社会、实现中华民族伟大复兴的中国梦而奋斗。中国梦同世界各国人民的美好梦想息息相通，中国人民愿意同各国人民在实现各自梦想的过程中相互支持、相互帮助，中国愿意同各国尤其是周边邻国共同发展、共同繁荣。

女士们、先生们、朋友们！

为表彰和鼓励更多人士和团体坚持和弘扬和平共处五项原则，我愿宣布，中国政府决定设立“和平共处五项原则友谊奖”和“和平共处五项原则卓越奖学金”。

中国有句古话：“千里之行，始于足下。”印度有句谚语：“水滴汇成溪，稻穗集成束。”缅甸人常说：“想，要凌云壮志；干，要脚踏实地。”中国将继续做弘扬和平共处五项原则的表率，同印度、缅甸和国际社会一道，推动建设持久和平、共同繁荣的和谐世界！

谢谢大家。